D0425889

GELEENDE TIJD

JEAN PIERRE RAWIE

GELEENDE TIJD

1999   Uitgeverij Bert Bakker   Amsterdam

I

FOTO

Mijn moeder heeft de foto uitgekozen
die na zijn dood het meeste op hem lijkt.
Naarmate langzaam de meedogenloze,
mij nog veranderende tijd verstrijkt,

fixeer ik hem steeds meer in deze pose;
het raam, de stoel, het boek dat hij bekijkt,
en al mijn komende metamorfosen
worden door mij aan dit portret geijkt.

Straks ben ik even oud als hij op deze
foto. Nog even, en wat is geweest
wordt weer zoals het was in den beginne:

Dezelfde sluitertijd. Ik zit te lezen
in deze kamer, en het licht valt binnen
door een verdwenen raam waarbij hij leest.

VERLOOP

Ik doe de dagelijkse dingen
volgens een vastgestelde wet,
en de seizoenen die vergingen
zijn per kalender bijgezet.

En niemand ziet dit onbewogen
verloop de kalme wanhoop aan,
waarmee ik alles voor mijn ogen
zag worden en teloor zag gaan.

Maar wat vergleed, wat mag verglijden,
ik weet diegenen om mij heen
van wie ik zonder tranen scheidde,
en die ik tranenloos beween.

HOEVEEL AL

Ick sie het swerrick dryven,
Ick sie de claare Maan

Bredero

Ik kan op het meest eigene geen recht,
op wat mij geldt geen aanspraak laten gelden;
de zegeningen die ik amper telde
zijn allengs minder voor mij weggelegd.

Het wonder overkomt mij nog maar zelden
dat ik een zin op het bestaan bevecht.
's Nachts waar ik rond: waaraan ik was gehecht,
ik vind het in geen wegen, in geen velden.

Ik merk haast niet hoeveel al is verloren,
zo slinks en listig gaat het in zijn werk.
Waar ik een kerk wist, staan opeens kantoren.

Alleen 'de klare maan, het drijvend zwerk'
blijven mij ongewijzigd toebehoren.
Ik sta te kijken. Maar ik sta niet sterk.

9

TEN LESTE

Ik weet niet welke weg je neemt;
de sterren gaan hun baan ten einde
en straks is mij het dichtstbijzijnde,
het langst gewetene weer vreemd.

Maar wat bestond aan zon en maan
en wisseling van de getijden,
het was alleen opdat wij beiden
elkander niet zouden ontgaan.

Wij worden nu nog slechts door tijd
en ruimte van elkaar gescheiden,
maar sta mij op het eind terzijde
als ik de einder overschrijd.

Wij hebben alles nog te goed
wat ons het leven heeft ontnomen:
uit welke verten ook, wij komen
elkaar ten leste tegemoet.

KERKHOF

Het hek hangt scheef in het scharnier.
De struiken groeien door het schroot.
Het stilstaand water in de sloot
symboliseert de doodsrivier.

Wat dreef ons om te zien wat hier
van zoveel leven overschoot?
Er liggen bleke wortels bloot
onder een weggezakt plankier.

Wij gaan tussen de graven door,
zonder te vragen naar de zin
van wat als vraag zijn zin verloor.

Er is geen eind en geen begin.
Wat is geweest ligt op ons voor,
wat komt loopt langzaam op ons in.

NAAM

De kwintessens van je verzameld werk:
in een zorgvuldig onderhouden perk
kom je opeens een aantal regels tegen
en ziet je naam op een granieten zerk.

OPDRACHT

Het lijkt maar weinig wat ik zag
op deze najaarsnamiddag.
Ik liep wat doelloos door de stad
omdat ik niets om handen had,

en heb in het plantsoen gezien
een meisje van een jaar of tien
dat bladeren tezamen bond
die zij onder de bomen vond.

Misschien dat het een opdracht was,
een herfststukje voor in de klas,
maar zij droeg alles voor zich heen
als Birnam Wood naar Dunsinane.

Het was alsof, terwijl ik keek,
de tijd weer omgekeerd verstreek,
en of ik, zonder spijt of schuld,
een kinderhart is zo gevuld,

daar zelf iets aan het zoeken was
waar ik, een leven later pas,
van weet dat het onmisbaar is
nu ik het mis.

RELIEKEN

December is al haast voorbij.
De dagen schuiven in elkaar.
Tegen het einde van het jaar
zet je de dingen op een rij,

en ruimt bijna gedachteloos
in je bureau de laden uit,
totdat je ergens op een doos
met foto's en met brieven stuit:

gezichten die je niet herkent
en zinnen die je niet herleest.
Degenen die je bent geweest,
degeen die je geworden bent,

hebben alleen je naam gemeen.
Verder is alles ver en vreemd,
relieken die je een voor een
nog eenmaal in je handen neemt,

voordat je ze onaangedaan
weer bijzet in dezelfde la.
– Je denkt over de levens na
die zomaar zijn voorbijgegaan

en legt een nieuwe maatstaf aan,
geen jaren maar millennia.

WENDING

Hoe ik ook zoek om te omschrijven
wat nooit in woorden is gevat,
het moet voorgoed verborgen blijven
voor wie het niet al zelf bezat.

Ach welk gedicht is ooit bij machte
zoveel van nu, zoveel van toen,
zoveel dat voorgaande geslachten
in ons verrichtten recht te doen?

Ik spreek alleen nog voor ons beiden,
alsof ik nu pas onderken
wat ik aan u te allen tijde
verschuldigd was, verschuldigd ben,

voor alles wat mij in het leven
in alles wat ik deed ontging,
wat niets en niemand mij kon geven,
totdat ik het van u ontving.

II

DIS

Het kan niet schelen waar wij eten,
zolang het maal wordt begeleid
door donker water van de Lethe,
de wijn van de vergetelheid.

Hoe ook de zetels zijn bemeten
en hoe de tafel is geschikt,
bij elke slok slinkt elke vete,
bij elke bete elk conflict.

Tezamen aan de dis gezeten
zijn wij verzoend met ons bestaan,
zolang wij niet bij ons geweten
en bij ons hart te rade gaan,

en samen van de lotus eten,
opdat ons eens gegeven wordt
ook elke liefde te vergeten
en elk onmetelijk tekort.

VOORGOED

Dit is de herfst, dit zijn de mooiste maanden,
maar ze ontgaan ons zoals ieder jaar,
want wij zijn blinden in een wereld waar
het blijvende niet geldt, alleen het gaande.

Wij tastten in het duister naar elkaar,
een oogwenk dat wij ons onsterflijk waanden,
en zijn niet dan elkanders nabestaanden;
het bed is ons niet nader dan de baar.

Geen troost valt aan het najaar te ontlenen,
de bladeren verworden in de goot
en de gelieven zijn voorgoed verdwenen.

Wie weet is ons vergund pas metterdood,
door vreemde hemellichamen beschenen,
iets vast te houden wat ons niet verstoot.

BONDGENOTEN

Wij hebben langs gescheiden wegen
steeds onze eigen weg gezocht;
thans, aan het einde van de tocht,
komen wij eerst elkander tegen.

Pas bij het ronden van de bocht,
de tegenstellingen ontstegen,
blijkt op hetzelfde vlak gelegen
wat ieder voor zichzelf bevocht.

En nu de meeste zekerheden
geleidelijk zijn zoekgeraakt,
deelt zich onopgesmukt en naakt
de laatste waarheid aan ons mede:

het is slechts dit gedeeld verleden
wat ons tot bondgenoten maakt.

ADRESSEN

In het verhaal van mijn twee steden
is het vooral in deze stad
dat mij meteen weer is ontgleden
wat ik het meest heb liefgehad.

Mijn Amsterdamse perioden
meet ik als vanzelfsprekend af
aan onvergetelijke doden
om wie ik onvergeeflijk gaf.

En altijd loop ik in den blinde
door de bekende buurten rond
om iets van vroeger te hervinden
wat ik ook vroeger nergens vond,

maar mij zal nimmermeer gebeuren,
aan deze gracht, in gene straat,
dat een van de vertrouwde deuren
als vroeger voor mij opengaat,

want achter deze gevels is er
in leven geen die op mij wacht;
De Houtmankade, Roemer Visscher,
Constantijn Huygens, Brouwersgracht.

WAAGSTRAAT

De eeuwig wisselende hemel welfde
zich eeuwenlang boven dezelfde grond,
waar altijd anders en altijd hetzelfde
de stad zichzelf herkende en hervond;

van wat hier door de jaren is verrezen
is veel weer door de jaren neergehaald,
maar altijd werd door deze plek het wezen
van Gronings stad en ommeland bepaald,

dat, steeds als men het nieuwe met het oude
opnieuw behoedzaam in de waagschaal legt,
voor volgende geslachten blijft behouden,
wanneer ook deze muren zijn geslecht.

SPANJAARDSLAAN

Al had je er ook verder niets te zoeken,
het loonde zich naar Leeuwarden te gaan
alleen om de begraafplaats te bezoeken,
de dodenakker aan de Spanjaardslaan.

Achter het hek met schedels op de hoeken
en het pedante middeleeuws vermaan,
verzakte zerken, zuilen, stenen boeken,
steun zoekende tegen elkander aan.

De meeste teksten zijn niet meer te lezen,
maar alles is je blindelings bekend:
Wat ik nu ben zul jij ook eenmaal wezen,
zoals ik eenmaal was wat jij nu bent.

Doch al die dood wordt door een eeuwig leven
zacht ruisend overgroeid en overgroend,
zozeer, dat wie hier rondgaat zich weer even
zelfs met het onverzoenlijke verzoent.

TEN GELEIDE

Wij die in weerwil van de tijd
het onverdraaglijkste verdroegen,
vanaf dat wij de weg insloegen
die naar voorbij de einder leidt,

beseffend dat wij, juist omdat
wij haakten naar het allerhoogste,
wat is gezaaid niet zullen oogsten,
wij gaan het ongeweten pad

tot aan het ongeweten eind,
en vragen niet dan ten geleide
het licht dat soms van gene zijde
voor onze voeten schijnt.

III

Diamante né smiraldo né zafino,
né vernul'altra gemma preziosa,
topazo né giaquinto né rubino,
né l'aritropia, ch'è sí vertudiosa,

né l'amatisto né 'l carbonchio fino,
lo qual è molto risprendente cosa,
non hanno tante belleze in domino
quant'ha in sé la mia donna amorosa.

E di vertute tutte l'autre avanza,
è somigliante a stella di sprendore
co la sua conta e gaia inamoranza.

E piú bell'esti che rosa e che frore:
Cristo le doni vita ed alegranza,
e sí l'acresca in gran pregio ed onore.

GIACOMO DA LENTINI

(1200?–1250?)

28

Saffier noch diamant, laat staan smaragd,
of welke edelsteen je maar verzint,
heliotroop met al zijn toverkracht,
topaas of amethist of hyacint,

karbonkel of robijn waarvan de pracht
bij eerste aanblik iedereen verblindt,
géen heeft er zoveel schoonheden in pacht
als deze vrouw die door mij wordt bemind.

In waarde overtreft zij ieder ding;
de liefelijke glans die haar omgeeft
maakt haar gelijk een ster in schittering.

Naast haar verbleekt de roos en elke bloem:
geef God dat zij lang en gelukkig leeft
en louter groeit in aanzien en in roem.

A l'aire claro ho vista plogia dare
ed a lo scuro rendere clarore,
e foco arzente ghiaccia diventare,
e fredda neve rendere calore,

e dolze cose molto amareare,
e de l'amare rendere dolzore,
e due guerrieri in fina pace stare,
e 'ntra due amici nascereci errore.

Ed ho vista d'Amor cosa piú forte:
ch'era feruto, e sanòmi ferendo;
lo foco donde ardea stutò con foco.

La vita che mi de' fue la mia morte,
lo foco che mi stinse ora ne 'ncedo:
ch'Amor mi trasse, e misemi in su' loco.

GIACOMO DA LENTINI

Bij klare hemel zag ik regen vallen,
en helderheid die uit het duister kwam,
en laaiend vuur gestold tot ijskristallen,
en koude sneeuw opeens in vuur en vlam,

en zoetigheden die de smaak vergallen,
en gal die plots een zoete smaak aannam,
en vijanden eendrachtig als vazallen,
en tussen vrienden louter wrok en gram.

Maar dit is niets bij Liefde vergeleken:
zij wondt mij, en geneest mij door mijn wonden;
zij dooft het vuur dat mij verteert met vuur.

Zij geeft mij leven in mijn stervensuur,
zij doet mijn as opnieuw in vuur ontsteken;
zij laat mij los, en houdt mij vastgebonden.

Chi non avesse mai veduto foco
no credería che cocere potesse,
anti li sembraría sollazo e gioco
lo so isprendora, quando lo vedesse.

Ma s'ello lo toccasse in alcun loco,
ben li sembrara che forte cocesse:
quello d'Amore m'ha toccato un poco;
molto me coce: Deo, che s'aprendesse!

Che s'aprendesse in voi, madonna mia,
che mi mostrate dar sollazo amando,
e voi mi date pur pen'e tormento!

Certo l'Amore fa gran villania,
che no distringe te, che vai gabando;
a me che servo non dà isbaldimento.

GIACOMO DA LENTINI

Wie wat het vuur vermag zou zijn ontgaan
zou niet kunnen geloven dat het brandt;
zag hij alleen het spel der vlammen aan,
leek het hem zelfs wel vrolijk en charmant.

Maar wie het even aanraakt met zijn hand
is pijnlijk snel genezen van die waan:
mij heeft het vuur der Liefde overmand;
ik word verteerd: God, mocht het overslaan!

Ja overslaan op u, van wie ik houd,
die eerst zo lieflijk en aanminnig scheen,
doch mij slechts smart en pijn gegeven heeft!

De Liefde toont zich waarlijk zeer gemeen;
zij laat wie met haar spot volkomen koud,
terwijl zij wie haar dient geen vreugde geeft.

Io vo in me gramo spesso ripetendo
infra me stesso, tutt'i miei peccati,
i quali ho fatti, detti e immaginati,
e di ciò gran dolore al cuore avendo;

e la mia conscienza rimordendo,
ch'io n'aggio tanti tanti radunati,
e rade volte ch'io gli ho confessati,
al sacerdote mia colpa dicendo.

Ond'io ricorro a voi, Signor verace
e creator del cielo e de la terra,
che mi puniate, sí come a voi piace,

per che peccando i'v'ho fatto gran guerra;
merzé vi chieggo, che doniate pace
a l'alma, quando il corpo andrá sotterra.

PIERACCIO TEDALDI

(1295–1350)

34

Ik klaag mijzelf in mijn beklemd gemoed
wegens de overvloed van zonden aan,
die ik met ieder zintuig heb begaan,
en met mijn hartebloed betalen moet,

nu het berouw in mijn geweten wroet
over het vele dat ik heb misdaan:
verzoening schoof ik op de lange baan
en heb mijn schuld beleden noch geboet.

Nu keer ik weer tot u, waarachtig Heer
die alles hebt geschapen wat bestaat,
en leg mij neer bij mijn gerechte straf;

maar ook al griefden u mijn zonden zeer,
geef dat mijn ziel niet mee te gronde gaat,
wanneer dit lichaam wegzinkt in het graf.

Passa por este valle a primavera
as aves cantam, plantas enverdecem,
as flores pelo campo apparecem,
o mais alto do louro abraça a hera;

abranda o mar; menor tributo espera
dos rios, que mais brandamente descem;
os dias mais fermosos amanhecem,
não para mim, que sou quem dantes era.

Espanta-me o porvir, temo o passado;
a magoa choro d'hum, d'outro a lembrança,
sem ter já que esperar, nem que perder.

Mal se póde mudar tão triste estado;
pois para bem não póde haver mudança,
e para maior mal não póde ser.

FREI AGOSTINHO DA CRUZ
(1540–1619)

Het dal wordt door het voorjaar ingenomen,
het groen komt uit, de vogels gaan tekeer,
en waar je kijkt keren de bloemen weer,
klimop reikt al tot boven in de bomen;

de zee is kalm, en wacht geen toevloed meer
van de rivieren, die steeds trager stromen;
de allermooiste dagen zijn gekomen,
maar niet voor mij: ik blijf gelijk weleer.

Ik vrees wat komt, en huiver om wat ging:
het een brengt leed, het ander bracht ellende;
ik weet niet meer van hoop of van gemis.

In dit verdriet is geen verandering;
het zal zich niet ten goede kunnen wenden,
en kan niet erger worden dan het is.

Si quiero por las estrellas
saber, Tiempo, dónde estás,
miro que con ellas vas,
pero no vuelves con ellas.
¿Adónde imprimes tus huellas
que con tu curso no doy?
Mas, ay, que engañado estoy,
que vuelas, corres y ruedas;
tú eres, Tiempo, el que te quedas
y yo soy el que me voy.

LUIS DE GÓNGORA
(1560–1627)

Wil ik van de sterren leren
waar gij, Tijd, gebleven zijt,
blijkt dat gij met hen verglijdt
zonder met hen terug te keren.
Hoe kan ik uw loop traceren,
niemand houdt u immers bij?
Maar ach, wat verbeeld ik mij
dat gij telkens zijt vervlogen;
gij blijft, Tijd, steeds onbewogen
en slechts ik, ik ga voorbij.

Después de tantos ratos mal gastados,
tantas obscuras noches mal dormidas;
después de tantas quejas repetidas,
tantos suspiros tristes derramados;

después de tantos gustos mal logrados
y tantas justas penas merecidas;
después de tantas lágrimas perdidas
y tantos pasos sin concierto dados,

sólo se queda entre las manos mías
de un engaño tan vil conocimiento,
acompañado de esperanzas frías.

Y vengo a conocer que en el contento
del mundo, compra el alma en tales días,
con gran trabajo, su arrepentimiento.

FRANCISCO DE QUEVEDO

(1580–1645)

Na zoveel blindelings verspilde tijd,
zoveel in duisternis doorwaakte nachten;
na zoveel steeds dezelfde jammerklachten
en zoveel zuchten van zwaarmoedigheid;

na zoveel dat niet was wat ik verwachtte,
zoveel verdriet en zoveel zelfverwijt;
na zoveel tranen, vruchteloos geschreid,
en zoveel tochten die mij nergens brachten,

heb ik ten langen leste niets in handen
dan dat ik het goedkoop bedrog doorschouw
waar elk verlangen op is doodgelopen.

Nu zie ik hoe door schade en door schande
de ziel van dag tot dag met diep berouw
de vreugde dezer wereld moet bekopen.

¿A que marmores tantos (ò mortales)
resplandecientes oy, mañana feos?
¿A que apropiarse inutiles trofeos
si el cimiento a la edad los haze iguales?

Atomos han de ser (aun en metales)
los colosos, por barbaros empleos;
a eternidad no llegan deuaneos,
solo virtudes lleban a inmortales.

O no erijais, ò no, tumulos vanos,
aumentad con el culto la grandeza,
lebantareis constante monarquia.

Salid, con dignas fabricas, de humanos.
Meritos son adorno, y fortaleza.
En poluo yace quien de marmol fia.

FRANCISCO LÓPEZ DE ZÁRATE
(1580–1165)

Waartoe (o mens) die marmeren overdaad
die heden blinkt en morgen moet verbleken?
Wat maalt ge om een zinloos zegeteken
dat in de loop der tijd tot gruis vergaat?

Zelfs bronzen beelden zal men vroeg of laat
tot een barbaars gebruik in stukken breken;
ten leste wordt niet meer naar praal gekeken,
wanneer alleen de deugd de dood weerstaat.

Zie af van een pronkzuchtig grafgewelf:
slechts door uw macht gestadig te beschaven
hebt gij een rijk dat standhoudt opgebouwd.

In waardigheid ontstijgt de mens zichzelf.
Uw kracht straalt uit uw daden en uw gaven.
In stof rust wie op marmer heeft vertrouwd.

Le pene mie lunghissime son tante,
ch'io non potria giammai dirtele appieno.
D'atri pensieri irrequïeti pieno,
neppure io 'l so, dove fermar mie piante.

Misera vita strascíno ed errante;
dov'io non son, quello il miglior terreno
parmi; e quel ch'io non spiro, aere sereno
sol chiamo; e il bene ognor mi caccio innante.

S'anco incontro un piacer semplice e puro,
un lieto colle, un praticello, un fonte,
dolor ne traggo e pensamento oscuro.

Meco non sei: tutte mie angosce conte
son da quest'una; ed a narrarti il duro
mio stato, sol mie lagrime son pronte.

VITTORIO ALFIERI

(1749–1803)

Onmetelijker nog is mijn verdriet
dan ik je ooit zou kunnen openbaren.
Een diepe onrust is in mij gevaren,
en waar ik aarden moet, ik weet het niet.

Ontheemd slijt ik mijn trieste levensjaren,
en zoek mijn heil alleen in het verschiet;
daar waar ik niet ben, ligt het mooist gebied;
de lucht die ik niet adem is de ware.

Zelfs als ik op iets zuiver lieflijks stuit,
een bloeiend heuvelland, een bron, een weide,
put ik er sombere gedachten uit.

Jij bent niet bij me: alles wat mij kwelt
valt tot die ene kwelling te herleiden,
en wordt je door mijn tranen slechts verteld.

UNA ROSA Y MILTON

De las generaciones de las rosas
que en el fondo del tiempo se han perdido
quiero que una se salve del olvido,
una sin marca o signo entre las cosas
que fueron. El destino me depara
este don de nombrar por vez primera
esa flor silenciosa, la postrera
rosa que Milton acercó a su cara,
sin verla. Oh tú bermeja o amarilla
o blanca rosa de un jardín borrado,
deja mágicamente tu pasado
inmemorial y en este verso brilla,
oro, sangre o marfil o tenebrosa
como en sus manos, invisible rosa.

JORGE LUIS BORGES
(1899–1986)

EEN ROOS EN MILTON

Van generaties rozen die vergingen
in grondeloze diepten van de tijd
hoed ik er één voor de vergetelheid,
één ongemerkt te midden van de dingen
die zijn geweest. Het is aan mij gegeven
dat ik haar thans ten eersten male noem,
die allerlaatste roos, de stille bloem
door Milton naar zijn aangezicht geheven,
zonder te zien. Dieprode, gele of
sneeuwwitte roos uit een verzonken hof,
ontstijg betoverd aan uw nameloos
verleden en verleen dit vers uw luister,
goud, bloed of elpenbeen of enkel duister
als in zijn handen, ongeziene roos.

Не строй жилищ у речних излучин,
где шумной жизхи заметен рост.
Поверь, конец всегда однозвучен,
никому не понятен и торжественно прост.

Твоя участь тиха, как рассказ вечерний,
и душой одинокой ему покорись.
Ты иди себе, молча, к какой хочешь вечерне,
где душа твоя просит, там молись.

Кто придет к тебе, будь он, как ангел, светел,
ты прими его просто, будто видел во сне,
и молчи без конца, чтоб никто не заметил,
кто сидел на скамье, промелькнул в окне.

И никто не узнает, о чем молчанье,
и о чем спокойных дум простота.
Да. Она придет. Забелеет сиянье.
Без вины прижмет к устам уста.

ALEKSANDR BLOK

(1880–1921)

Bouw niet in de bocht van rivieren je woning,
waar leven verwordt tot lawaai en vertoon.
Geloof mij, het einde is altijd eentonig,
voor geen te verstaan en plechtstatig gewoon.

De stilte gewijd, als verhaal in de schemer,
voeg jij naar het lot je eenzelvig gemoed.
Je kunt elke plek voor de avonddienst nemen,
en wat je geweten je ingeeft, is goed.

En wie je ook, stralend, als boodschapper nadert,
ontvang hem gewoon, als een droom die je had,
en zwijg voor altijd, opdat niemand zal raden
wie daar bij het raam, in de vensterbank zat.

En geen zal de grond van je zwijgen vernemen,
en waaruit je kalme vertrouwen bestond.
Eens, zeker, verschijnt zij. Het glanst aan de hemel.
En schuldeloos drukt zij haar mond op je mond.

Под шум и звон однообразный,
под городскую суету
я ухожу, душою праздный,
в метель, во мрак и в пустоту.

Я обрываю нить сознанья
и забываю, что́ и как...
Кругом – снега, трамваи, зданья,
а впереди – огни и мрак.

Что, если я, завороженный,
сознанья оборвавший нить,
вернусь домой уничиженный, –
ты можешь ли меня простить?

Ты, знающая дальней цели
путеводительный маяк,
простишь ли мне мои метели,
мой бред, поэзию и мрак?

Иль можешь лучше: не прощая,
будить мои колокола,
чтобы распутица ночная
от родины не увела?

ALEKSANDR BLOK

Onder de eendere geluiden,
het loze grotestadsgedoe,
loop ik met lege ziel naar buiten,
naar sneeuwstorm, nacht en leegte toe.

Ik breek de band met het vertrouwde
en hoe en wat wordt ongewis...
Rondom mij – sneeuwjacht, trams, gebouwen,
en voor mij – vuur en duisternis.

Ben jij – als ik in trance verkerend,
mijn rede aan een zijden draad,
de weg naar huis vernederd weervind –
nog tot vergiffenis in staat?

Jij, die het eind van ieder streven
begrijpt in het geleidend licht,
kun jij mij storm en sneeuw vergeven,
mijn waanzin, duister en gedicht?

Of liever nog: mij niets vergeven,
als klokgelui er maar voor waakt
dat 's nachts op ongebaande dreven
mijn hof en haard verloren raakt?

Ты смотришь в очи ясным зорям,
а город ставит огоньки,
и в переулках пахнет морем,
поют фабричные гудки.

И в суете непобедимой
душа туманам предана...
Вот красный плащ, летящий мимо,
вот женский голос, как струна.

И помыслы твои несмелы,
как складки современных риз...
И женщины ресницы-стрелы
так часто опускают вниз.

Кого ты в скользкой мгле заметил?
Чьи окна светят сквозь туман?
Здесь ресторан, как храмы, светел,
и храм открыт, как ресторан...

На безысходные обманы
душа напрасно понеслась:
и взоры дев, и рестораны
погаснут все – в урочный час.

ALEKSANDR BLOK

Je slaat de lichte schemer gade,
maar in de stad gaan lichtjes aan,
en zeelucht ademt door de straten,
nu de fabriekssirenes gaan.

En door de massa meegezogen
gaat in de mist je ziel teloor...
Een rode jas glijdt langs je ogen,
een vrouwenstem strijkt langs je oor.

Je plannen vormen zich omzichtig,
als plooien in een nieuw gewaad...
En vrouwenwimpers flitsen schichtig,
zo vaak je blikt in een gelaat.

Wie zag je door het donker lopen?
Waar zijn nog geen gordijnen dicht?
De kroegen staan als kerken open,
de kerk is als een kroeg verlicht...

Zo dikwijls uitzichtloos bedrogen,
is weer je ziel vergeefs misleid:
de kroegen, en de meisjesogen,
zij doven te bestemder tijd.

ВТОРОЕ КРЕЩЕНЬЕ

Открыли дверь мою метели,
застыла горница моя,
и в новой снеговой купели
крещен вторым крещеньем я.

И, в новый мир вступая, знаю,
что люди есть, и есть дела,
что путь открыт наверно к раю
всем, кто идет путями зла.

Я так устал от ласк подруги
на застывающей земле.
И драгоценный камень вьюги
сверкает льдиной на челе.

И гордость нового крещенья
мне сердце обратила в лед.
Ты мне сулишь еще мгновенья?
Пророчишь, что весна придет?

Но посмотри, как сердце радо!
Заграждена снегами твердь.
Весны не будет, и не надо:
крещеньем третьим будет – Смерть.

ALEKSANDR BLOK

54

HET TWEEDE DOOPSEL

De sneeuwstorm heeft mijn deur geopend,
zodat de kou het huis beving,
en ik in een nieuw sneeuwen doopvont
het tweede doopsel onderging.

En in een nieuwe wereld leerde
ik mensen, dingen te verstaan,
en dat gemeenlijk de verkeerden
de brede weg ten hemel gaan.

De liefde moe leef ik verbitterd
in dit steeds kouder wordend land.
Op mijn bevroren voorhoofd schittert
een sneeuwvlok als een diamant.

De trots van een opnieuw gedoopte
veranderde mijn hart in ijs.
Waar wou je nog dat ik op hoopte?
Wat maak je mij voor lente wijs?

Kijk toch hoe blij ik ben vanbinnen,
sinds sneeuw de hemel voor mij sloot!
Geen lente hoeft meer te beginnen:
het derde doopsel is de Dood.

Всё на земле умрет – и мать, и младость,
жена изменит и покинет друг.
Но ты учись вкушать иную сладость,
глядясь в холодный и полярный круг.

Бери свой челн, плыви на дальний полюс
в стенах изо льда – и тихо забывай,
как там любили, гибли и боролись...
И забывай страстей бывалый край.

И к вздрагиваньям медленного хлада
усталую ты душу приучи,
чтоб было здесь ей ничего не надо,
когда оттуда ринутся лучи.

ALEKSANDR BLOK

Alles op aarde – moeder, jeugd – moet sterven,
je vrouw bedriegt je, je verliest je vriend.
Maar zoek een nieuwe zoetheid te verwerven,
het koude poolgebied rondom beziend.

Ga scheep, richt naar de verre pool de steven
langs wand na wand uit ijs – en stil, vergeet
wat ginds in haat en hartstocht is gebleven...
Vergeet het oude land van lief en leed.

En leer in huivering en trage koude
je uitgeputte ziel hoe op het eind
hier niets is wat haar vast zal kunnen houden,
wanneer het licht van gene zijde schijnt.

INHOUD

I

II

III

Geleende tijd van Jean Pierre Rawie werd in 1999 in opdracht van Uitgeverij Bert Bakker gezet door Styx Publications te Groningen, gedrukt door drukkerij Groenevelt bv te Landgraaf en gebonden door binderij De Ruiter te Zwolle.

© 1999 Jean Pierre Rawie
Omslagontwerp Tessa van der Waals
Foto Hans Vermeulen
ISBN 90 351 1883 9

Eerste druk september 1999
Tweede druk september 1999
Derde druk september 1999
Vierde druk september 1999

Uitgeverij Bert Bakker is een onderdeel van Uitgeverij Prometheus